LUCY DANIELS

yr Arch Anifeiliaid Bach

Poni'r Parti

Lluniau gan Andy Ellis

Addasiad Cymraeg: Bethan Mair

RILY

I Molly a Thomas

Gyda diolch arbennig i Linda Chapman

PONI'R PARTI
ISBN 978-1-84967-153-8

Rily Publications Ltd
Blwch Post 20
Hengoed
CF82 7YR

Addasiad Cymraeg gan Bethan Mair
Hawlfraint y testun Cymraeg © Rily Publications 2013

Dymuna'r cyhoeddwyr gydnabod cymorth
Cyngor Llyfrau Cymru

Cysodwyd gan Wasg Dinefwr, Llandybïe, Sir Gaerfyrddin
Argraffwyd a rhwymwyd yn y Deyrnas Gyfunol
gan CPI Cox & Wyman Ltd, Reading, Berkshire.

www.rily.co.uk

Pennod Un

"Dy dro di nawr, Mali!" meddai Mr Stephens, gan roi help llaw i fachgen ddod oddi ar gefn Seren.

Rhedodd Mali Huws draw ato, a'i chalon yn curo'n gyffrous. Roedd hi ym mharti pen-blwydd ei ffrind, Sali Pritchard, yn wyth oed. Roedd mam Sali wedi gofyn i Mr Stephens ddod â Seren, Poni'r Parti, i roi tro i'r plant o gwmpas yr ardd.

"Helô, Seren," meddai Mali, gan fwytho gwddf y poni.

Trodd Seren i edrych arni.
Roedd cudyn o wallt golau'n
syrthio dros ei lygaid fel ffrinj.

"Wyt ti'n edrych ymlaen at fynd ar ei gefn, Mali?" gofynnodd Mr Stephens, gan wenu arni. Roedd Mali'n ei adnabod e'n dda oherwydd roedd ei ferch, Gwenno, yn yr un dosbarth â hi yn yr ysgol.

"O, ydw!" meddai Mali. Byth ers iddi glywed y byddai Seren yn y parti, dim ond un peth oedd ar ei meddwl – mynd am dro ar ei gefn. Roedd hi'n dwlu ar anifeiliaid. Milfeddygon oedd ei mam a'i thad, ac roedd Mali wedi penderfynu y byddai hithau hefyd yn hoffi bod yn filfeddyg ryw ddiwrnod.

Rhoddodd Mr Stephens het farchogaeth iddi, a gwasgodd Mali'r het galed yn gyffrous dros ei gwallt melyn.

"Nawr, dalia di'n sownd yn y cyfrwy ac fe ro i help i ti ddringo i fyny," meddai Mr Stephens.

Estynnodd Mali am y cyfrwy. Ymhen eiliad roedd hi'n eistedd ar gefn Seren.

Cydiodd yn y ffrwyn a dal yn dynn yn ochrau'r ceffyl bach â'i phengliniau.

Cliciodd Mr Stephens ei dafod a dechreuodd Seren gerdded ar draws yr ardd.

Gallai Mali weld ei ffrindiau'n chwarae, ond doedd hi ddim eisiau bod yn unman arall heblaw fan hyn, ar gefn Seren. Chwythodd awel fwyn ar ei hwyneb wrth i Seren ei chario'n esmwyth ar draws y lawnt. Anadlodd arogl cynnes y poni – arogl gwair a lledr.

"Dwi'n meddwl y dylai pob parti gynnig tro ar gefn ceffyl!" meddai hi'n hapus.

Gwenodd Mr Stephens. "Byddai Seren wrth ei fodd. Mae e'n dwlu bod yn boni parti."

Nodiodd Seren ei ben, fel pe bai'n cytuno.

Chwarddodd Mali. "Pryd mae'r parti nesa, Mr Stephens?" gofynnodd.

"Penwythnos nesa," atebodd Mr Stephens. "Ond fydd dim rhaid i ni deithio'n bell," meddai, gan wenu. "Parti pen-blwydd Gwenno fydd e! Bydd hi'n dod â'r gwahoddiadau i'r ysgol ddydd Llun. Dwi'n meddwl ei bod hi'n bwriadu gwahodd pawb yn y dosbarth."

"O, gwych!" meddai Mali. "Glywaist ti hynny, boi?" gofynnodd i Seren. "Mi fydda i'n cael cyfle arall i dy farchogaeth di'r wythnos nesa!"

Roedden nhw wedi cyrraedd pen draw'r ardd. Trodd Mr Stephens y poni i wynebu'r ffordd arall. "Hoffet ti fynd yn fwy cyflym?" gofynnodd i Mali.

"O, plis!" atebodd.

"Ar drot!" meddai Mr Stephens wrth Seren. A dechreuodd y ceffyl drotian.

I ddechrau, teimlai Mali braidd yn anghyfforddus. Ond cyn pen dim roedd hi'n codi a disgyn yn y cyfrwy wrth i Seren drotian yn gyflym.

Byddai Mali wedi hoffi aros ar ei gefn am byth. Ond buan iawn roedden nhw 'nôl yn y man cychwyn, ac roedd hi'n bryd rhoi tro i rywun arall.

Helpodd Mr Stephens Mali i lawr oddi ar y ceffyl.

"Diolch," meddai, gan roi cwtsh i Seren.

Rhoddodd y poni hwp fach iddi â'i drwyn melfed.

Rhoddodd Mali'r het farchogaeth
yn ôl a mynd i chwilio am Gwenno.

Roedd Gwenno draw wrth fwrdd yr anrhegion. "Mae dy dad yn dweud dy fod ti'n cael parti'r penwythnos nesa," meddai Mali'n gyffrous.

Nodiodd Gwenno, gan wneud i'w chynffon o wallt melyn fownsio i fyny ac i lawr. "Ydw, ddydd Sadwrn.

 Parti poni fydd e!" meddai, a'i llygaid yn pefrio. "Dwi'n mynd i gael teisen siâp ceffyl! Ac mae Dad yn mynd i roi tro i bawb ar gefn Seren! Rwyt ti am ddod, on'd wyt ti?"

"Wrth gwrs!" atebodd Mali'n hapus. Edrychodd ar Seren, oedd ar fin cychwyn ar ei daith gyda phlentyn arall ar ei gefn, a rhoddodd ochenaid fach. "Rwyt ti mor lwcus yn cael ceffyl, Gwenno."

"Dwi'n gwybod," meddai Gwenno. "Fe brynodd Mam a Dad Seren i fi'n anrheg Nadolig y llynedd. Roedd e'n eitha drud, felly roedd e'n anrheg Nadolig a phen-blwydd yn un. Ond nawr ei fod e yma, does dim ots gen i os na cha' i'r un anrheg arall *byth* eto!"

Edrychodd Mali'n hiraethus ar y poni brown. Roedd hi'n siŵr mai dyna sut byddai hithau'n teimlo hefyd. "Baswn i'n dwlu ar gael ceffyl a gofalu amdano," meddai.

"Hoffet ti ddod i roi help llaw i fi baratoi Seren ar gyfer y parti ddydd Sadwrn?" gofynnodd Gwenno.

"Hoffi?" gwichiodd Mali'n hapus. "Baswn i wrth fy modd!"

Pennod Dau

Prin y gallai Mali ddioddef aros
tan y penwythnos. O'r diwedd,
roedd hi'n fore dydd Sadwrn.
"Amser mynd!" meddai, gan
neidio i fyny ac i lawr yn
ddiamynedd. "Dere 'mlaen,
Mam!"

Ond doedd Elan Huws, mam
Mali, ddim ar frys. "Ydy dy ddillad
parti 'da ti er mwyn i ti gael
newid?" gofynnodd yn bwyllog.

"Ydyn!" atebodd Mali.

"Ac anrheg Gwenno?"
holodd ei mam.

"Ydy!" gwaeddodd Mali.
Y diwrnod cynt, roedd hi wedi
galw yn Ffrindiau Bach, y siop
anifeiliaid anwes ym Mryn-rhyd,
i brynu tennyn lledr smart i
arwain Seren. Roedd hi wedi
lapio'r anrheg yn ofalus a'i rhoi
yn ei bag. "*Plis* gawn ni fynd,
Mam?" gofynnodd.

Gwenodd Elan Huws. "Iawn,
'te. I mewn â ti i'r Land-rofer."

Bant â nhw drwy bentref
Llan-rhyd, lle roedd Gwenno a'i
theulu'n byw mewn hen dŷ ar
gyrion y pentre. Roedd gardd
fawr o'i gwmpas a chae digon
mawr i gadw ceffyl.

Rhedodd Gwenno allan o'r tŷ cyn i Mrs Huws gael cyfle i ddiffodd injan y Land-rofer.

"Mwynha dy hun," meddai Mrs Huws wrth i Mali neidio o'r car.

"Fe wna i! Hwyl, Mam!" galwodd Mali. Cododd ei llaw ar ei mam cyn dilyn Gwenno i mewn i'r tŷ.

Roedd Mrs Stephens yn sefyll wrth fwrdd mawr y gegin yn paratoi brechdanau.

"Helô, Mrs Stephens," meddai Mali. Yna gwelodd deisen enfawr ar ochr y bwrdd. Roedd hi'r un siâp yn union â cheffyl. "Waw!" ebychodd. Aeth yn nes i gael gwell golwg. Roedd y deisen wedi'i gorchuddio ag eisin siocled, a

chynffon a mwng y ceffyl wedi'u
gwneud o eisin gwyn.

"On'd yw hi'n deisen wych?"
meddai Gwenno. "Mam wnaeth hi.
A hi wnaeth y rhain hefyd,"
meddai. Dangosodd blataid o
fisgedi cartre i Mali, a llun pen
ceffyl mewn eisin ar bob bisgeden.
Roedd llond hambwrdd o jelis bach
mewn dysglau papur siâp ceffyl yno
hefyd.

"Mae'r cyfan yn edrych yn
fendigedig!" meddai Mali.

Gwenodd Mrs Stephens.

"Cer i weld yr ardd," meddai.

Rhedodd Mali o'r gegin gyda Gwenno. Roedd Mr Stephens yn addurno'r coed a'r perthi â rhesi o gadwyni papur siâp pedol, a'r rheiny yn holl liwiau'r enfys. Ar hyd un ochr o'r ardd roedd baner fawr ac arni'r geiriau *Parti Poni Gwenno*!

"Mae popeth yn y parti ar thema ceffylau," meddai Gwenno'n falch wrth Mali. "A nawr, rhaid i ni wneud i Seren edrych yn berffaith hefyd."

Clywodd Mr Stephens y ddwy'n siarad. "Gwell i chi fynd i'w nôl e o'r cae, 'te, ferched," meddai. "Mae angen brwsio'i gôt yn drylwyr."

Aeth Mali a Gwenno ar hyd y llwybr oedd yn arwain o'r ardd at gae Seren. Wrth iddyn nhw gyrraedd y glwyd, gallen nhw weld Seren yn carlamu o gwmpas y cae. Yn sydyn, rhoddodd ei ben i lawr a chicio'i sodlau ôl i'r awyr, dro ar ôl tro.

Syllodd Gwenno mewn braw.
"Dyw e ddim yn gwneud hynna fel
arfer," meddai.

"Efallai ei fod e wedi cyffroi,'
meddai Mali.

Datglymodd Gwenno raff Seren,
oedd yn sownd wrth y glwyd.
"Seren!" galwodd, gan fynd i mewn
i'r cae.

Taflodd y ceffyl ei ben a
throtian draw.

Mwythodd Mali ei wddf.
Rhwbiodd yntau ei drwyn yn ei
herbyn am eiliad cyn troi'i ben yn
sydyn a syllu ar ochr chwith ei
gorff.

Tynnodd Gwenno ar y rhaff.
"Dere, Seren," meddai. "Mae'n bryd
i ti gael dy frwsio." Arweiniodd hi
Seren at ei stabl.

Wrth ochr y stabl roedd sied fawr. "Dyma lle rydyn ni'n cadw'i fwyd, yr offer marchogaeth a phethau felly," meddai Gwenno. Clymodd hi Seren y tu allan i'r stabl. "Fe a' i i nôl y brwshys."

Wrth i Gwenno fynd i mewn i'r sied, arhosodd Mali gyda Seren.

Chwythodd y poni ar ei dwylo.

Gwenodd Mali. "Helô, boi," sibrydodd gan fwytho'i drwyn.

Daeth llygaid Seren i'r golwg o dan ei gudyn gwallt. Chwifiodd ei gynffon hir, drwchus. Roedd hi'n llawn clymau, a'i gôt yn llwch i gyd ar ôl iddo fod yn gorwedd yn y cae.

Daeth Gwenno allan o'r sied yn cario bocs yn llawn o frwshys. "Ry'n ni'n dechrau gyda'r brwsh dandi," meddai. Estynnodd ddau frwsh bras o'r bocs a rhoi un i Mali. "Y rhain sy'n cael yr holl fwd a'r llwch allan o'i gôt. Dyna'r peth pwysicaf."

Dechreuodd Mali frwsio ochr
chwith y ceffyl, a Gwenno yr ochr
dde. Brwsiodd Mali mor galed ag
y gallai hi.

Cododd cymylau mawr o lwch
i'r awyr oddi ar war Seren.

Ond wrth iddi frwsio'i ochr â'r
brwsh dandi, taflodd y ceffyl ei ben
yn ôl a neidio fel petai mewn poen.

Rhoddodd Mali'r brwsh i lawr
ac edrych yn fwy gofalus ar y fan lle
bu'n brwsio. Gallai weld lwmpyn
ar ochr chwith
Seren, lle byddai'r
cyfrwy'n cael ei
osod. Roedd y
lwmpyn tua'r un
maint â chledr
llaw Mali. "Edrych, Gwenno!"
meddai. "Mae Seren wedi cael
dolur!"

Brysiodd Gwenno draw at Mali,
a rhoddodd Mali ei bys yn ysgafn ar
y lwmpyn. Roedd yn teimlo'n boeth,
ac wrth iddi ei gyffwrdd gwingodd
Seren.

Roedd golwg ofidus ar wyneb
Gwenno. "Tybed beth yw e? Gwell
i ni fynd i nôl Dad!" meddai.

Pennod Tri

PARTI PONI GWENNO!

Roedd Mr Stephens ar ben ysgol, yn clymu rhubanau pinc ar y goeden afalau.

"Dad!" gwaeddodd Gwenno, wrth iddi hi a Mali redeg ar draws yr ardd. "Mae Seren wedi cael dolur!"

"Dolur?" holodd Mr Stephens. Daeth i lawr o'r ysgol. "Beth wyt ti'n feddwl?"

"Mae lwmpyn mawr ar ei ochr," meddai Mali.

"Dere, glou!" ymbiliodd Gwenno.

Brysiodd Mr Stephens ar ôl Mali
a Gwenno i'r fan lle roedd Seren
wedi'i glymu.

Cododd y ceffyl ei ben a gweryru wrth i bawb ruthro ar hyd y llwybr tuag ato. Roedd golwg drist arno.

Pwyntiodd Gwenno at y lwmpyn. "Mali welodd e wrth i ni ei frwsio," meddai.

Gwyliodd Mali wrth i Mr Stephens deimlo'r chwydd ar gefn Seren. "Beth sydd wedi digwydd, Mr Stephens?" gofynnodd mewn llais pryderus.

"Does gen i ddim syniad." Gwgodd Mr Stephens wrth weld Seren yn gwingo. "Efallai bod y cyfrwy wedi rhwbio yn erbyn ei groen. Gwell i mi ffonio'r Arch Anifeiliaid, a gofyn i dy fam neu dy dad ddod i gael golwg arno fe, Mali."

Lapiodd Gwenno ei breichiau
o gwmpas gwddf Seren. "O, Seren,
druan," ochneidiodd. Edrychai fel
pe bai hi ar fin crio.

"Fe a' i i ffonio nawr," meddai
Mr Stephens, a rhuthro oddi yno.

*

Ymhen rhyw chwarter awr,
cyrhaeddodd Elan Huws.

"Mam!" galwodd Mali, gan
redeg draw at ei mam wrth
iddi gerdded i mewn i'r cae gyda
Mr Stephens.

"Helô, cariad," meddai Mrs Huws. "Dwi'n clywed nad ydy Seren yn hwylus iawn. Well i mi gael golwg arno fe, 'te."

Pwyntiodd Gwenno at y lwmpyn. "Doedd e ddim yno ddoe," meddai hi'n grynedig.

"Wyt ti'n gwybod beth sydd wedi achosi'r lwmpyn, Mam?" gofynnodd Mali yn llawn gofid.

Nodiodd ei mam. "Gwenynen sydd wedi pigo Seren druan," meddai. "Does dim angen poeni," ychwanegodd, gan wenu'n gyfeillgar.

Tynnodd Mali anadl ddofn. Diolch byth, doedd Seren ddim wedi cael dolur drwg! Edrychodd ar Gwenno a gweld golwg o ryddhad ar wyneb ei ffrind.

"Doedd gen i ddim syniad fod gwenyn yn pigo ceffylau!" meddai Mr Stephens.

"Dyw e ddim yn beth cyffredin," meddai Mrs Huws. "Rhaid fod Seren wedi cael ei bigo pan oedd e mas yn y cae."

Cydiodd Mali ym mraich Gwenno wrth iddi gofio rhywbeth. "Roedd e'n cicio pan aethon ni i'w nôl, on'd oedd e?"

Nodiodd Gwenno. "Oedd! Roedd e'n carlamu o gwmpas y cae! Efallai ei fod e newydd gael ei bigo bryd hynny."

"Mae hynny'n swnio'n debygol," cytunodd Mrs Huws. Agorodd ei bag milfeddyg du. "Fe wna i dynnu'r colyn, a gadael eli i chi ei roi ar y briw."

Yna trodd i edrych ar bawb.
"Mae'n ddrwg gen i," meddai hi,
"ond chaiff neb fynd ar gefn Seren
am ddiwrnod neu ddau."

Ochneidiodd Mali. Beth am
y parti? Edrychodd ar Gwenno.
Roedd golwg drist iawn ar ei
ffrind.

"Rwyt ti'n deall, on'd wyt ti, Gwenno?" holodd Mrs Huws.

"All Seren ddim gwisgo cyfrwy nes i'r chwydd fynd i lawr. Fe all e ddod i'r parti, wrth gwrs, ond chaiff neb ei farchogaeth. Dydyn ni ddim am i'r briw waethygu."

Cnôdd Gwenno ei gwefus, a nodio. "Dwi'n deall," sibrydodd.

Ochneidiodd Mali. Druan o Gwenno! A druan o Seren!

Pennod Pedwar

"Mae hyn mor annheg," meddai
Gwenno, ar ôl i'w thad a Mrs
Huws adael.

Eisteddodd ar riniog drws y
sied a chladdu'i hwyneb yn ei
dwylo.

Eisteddodd Mali wrth ei hochr.
Byddai wedi hoffi gallu dweud
rhywbeth fyddai'n cysuro'i ffrind.
"Gall Seren ddod i'r parti o hyd,"
meddai. "Fydd dim rhaid iddo
golli'r hwyl."

"Ond fydd pethau ddim yr un fath," ochneidiodd Gwenno'n drist. "Mae Seren wrth ei fodd yn rhoi tro i'r plant. Fydd e ddim yn deall pam nad ydy e'n gwisgo'i gyfrwy."

Edrychodd Mali ar Seren. Tarodd yntau ei droed ar y llawr a gweryru, fel pe bai'n gofyn, *Beth sy'n digwydd? Pam ry'ch chi'n eistedd yn fan'na?*

"Druan ohonot ti," meddai Mali gan godi ar ei thraed. Aeth draw at y ceffyl a'i fwytho. "O leia bydd dy gefn di'n gwella." Edrychodd ar Gwenno. "Ddylwn i ddal ati i'w frwsio fe?" gofynnodd, heb wybod beth arall i'w wneud. "Er na fydd e'n gallu rhoi tro i neb, fe fydd e'n dal i allu edrych ei orau."

Nodiodd Gwenno a chodi ar ei thraed. "Ti'n iawn," meddai, a chodi brwsh arall.

Mwythodd Seren fraich Gwenno. Roedd fel pe bai e'n deall bod ei feistres yn drist.

41

"O, Seren," ochneidiodd
Gwenno. "Pam roedd yn rhaid i ti
gael dy bigo?"

Brwsiodd Mali a Gwenno gôt
y poni mewn tawelwch. O'r
diwedd, roedd pob mymryn o
lwch a mwd wedi diflannu oddi
ar gôt Seren.

"Ddylen ni ddechrau golchi ei
gynffon?" gofynnodd Mali, gan
roi ei brwsh yn ôl yn y bocs offer.

Nodiodd Gwenno. "Mae 'na
fwced yn y sied," meddai.

Aeth Mali i mewn i'r sied.
Roedd pentwr o fwcedi plastig
yn y gornel yn ymyl y cafnau
bwydo metel. Roedd ochr arall
y sied yn llawn dop o wair a
gwellt.

Yn sydyn, stopiodd Mali a syllu.
Ymysg y bêls gwair, roedd rhywbeth
oedd yn edrych yn debyg i hen gert
poni. Ar hoelen gerllaw, roedd
harnais ledr yn hongian.

Aeth Mali'n nes. Er bod y paent y gert yn plicio, roedd hi'n edrych mewn cyflwr reit dda.

Yr eiliad honno, daeth Gwenno i mewn i'r sied. "Wyt ti wedi dod o hyd i fwced?" gofynnodd. Yna gwelodd Mali'n edrych ar y gert.

"O, cert Seren yw honna," meddai. "Fe gawson ni hi gan ei gyn-berchnogion pan brynon ni e. Mae hi braidd yn hen, ond mae Dad wedi addo'i pheintio rywbryd."

"Ydy Seren yn gwybod sut i dynnu'r gert?" gofynnodd Mali.

"O, ydy,' meddai Gwenno. "Roedd ei berchnogion wedi'i hyfforddi sut i wneud."

Fel fflach, cafodd Mali syniad. "Gwenno!" meddai'n gyffrous. "Beth am i ni lanhau'r gert heddiw?"

"Pam?" gofynnodd Gwenno mewn penbleth.

"Wel, gall Seren roi tro i bawb *yn y gert* wedyn!" meddai Mali. "Fyddai dim angen iddo wisgo'r cyfrwy, a byddai pawb wrth eu bodd!"

Lledodd gwên ar draws wyneb Gwenno. "Wyt ti wir yn meddwl y gallai hynna weithio?" holodd.

"Ydw!" meddai Mali. "O, Gwenno, byddai'n wych!"

Pennod Pump

Rhedodd Mali a Gwenno i chwilio am Mr Stephens. Roedd e'n brysur yn gosod byrddau pren yn yr ardd.

Trodd ei ben wrth i Mali a Gwenno ruthro i lawr y llwybr tuag ato. "Beth yw'r brys?" holodd. "Ble mae'r tân?"

"Does dim tân, Dad," meddai Gwenno, a'i gwynt yn ei dwrn. "Ond mae Mali newydd gael syniad gwych. Ti'n cofio'r hen gert…"

Esboniodd Gwenno syniad Mali ar wib i'w thad. "Beth wyt ti'n feddwl o'r syniad?" gofynnodd iddo o'r diwedd.

Edrychodd Mali'n obeithiol ar dad ei ffrind.

"Wel..." meddai Mr Stephens, a golwg feddylgar arno. "Bydd raid i ni wneud yn siŵr nad ydy'r harnais yn cyffwrdd â'r briw ar gefn Seren, wrth gwrs. Ac mae angen tipyn o waith i roi trefn ar y gert 'na. Ond mae'n bosib y gallai'r syniad weithio! Da iawn ti, Mali."

Rhoddodd Mali a Gwenno gwtsh fawr hapus i'w gilydd.

Aethon nhw i mewn i'r sied, ac estynnodd Mr Stephens yr harnais.

Cafodd Seren syndod wrth
deimlo'r harnais ar ei gefn. Trodd
ei ben ac arogli'r lledr wrth i
Mr Stephens glymu'r byclau.

"Dyw'r cyfrwy ddim yn agos at y briw," meddai Mali'n hapus.

"Na, fe ddylai fod yn iawn," meddai Mr Stephens yn fodlon. "Bydd angen glanhau'r gert yn drylwyr, cofiwch."

"Fe wnawn ni hynny!" meddai Gwenno. "Dere, Mali!"

Wrth i Mr Stephens dynnu'r gert allan o'r sied a gwneud yn siŵr bod popeth yn iawn, eisteddodd Mali a Gwenno ar y llawr â phwcedaid o ddŵr a sebon arbennig.

Dangosodd Gwenno i Mali sut i olchi'r lledr a'i wneud yn feddal. "Diolch byth dy fod ti wedi dod draw mor gynnar," meddai. "Mae cymaint i'w wneud."

Nodiodd Mali. "Rhaid i ni orffen gwneud hyn, wedyn golchi mwng a chynffon Seren..."

"Ac wedyn bydd angen addurno'r gert," meddai Gwenno gan wenu'n hapus.

"Wel, mae popeth i'w weld yn gweithio'n iawn," meddai Mr Stephens. "Fe wna i dynnu'r llwch oddi arni, ac wedyn gewch chi ei haddurno. Mae rhagor o rubanau a baneri yn y tŷ y gallech chi eu defnyddio."

Gweithiodd Mali a Gwenno
mor gyflym ag y gallen nhw.
Fe orffennon nhw lanhau'r harnais,
a golchi cynffon Seren. Pan redodd
y ddwy i'r tŷ i nôl y rhubanau,
esboniodd y ddwy eu syniad wrth
fam Gwenno.

Estynnodd
Mrs Stephens
ragor o
rubanau a
baneri i
addurno'r
gert. "Alla i
ddim aros
i weld y cyfan
wedi'i orffen!"
meddai. "Ond
rhaid i chi
frysio – fe

fydd y gwesteion yma ymhen rhyw awr."

Rhedodd Mali a Gwenno yn ôl at y gert a dechrau ei haddurno â'r rhubanau lliwgar. Fe wnaethon nhw eu plethu rownd y gert i gyd, yna clymu'r rhubanau yn bert ar ben y rheilen. Roedd rhuban neu ddau dros ben ar gyfer yr harnais hefyd.

Syllodd Seren arnyn nhw gan daro'i droed flaen ar y llawr a thaflu'i ben yn gyffrous. Roedd fel pe bai'n deall ei fod am gael tynnu'r gert unwaith eto.

"Dyna ni!" meddai Mali o'r diwedd.

"Waw!" gwaeddodd Gwenno.

Edrychai'r gert yn hollol
wahanol. Roedd yr hen baent
salw o'r golwg yn llwyr o dan
yr addurniadau pert, a harnais
Seren yn rhubanau lliwgar
i gyd.

"Mae'n edrych yn wych!"
meddai Mali'n hapus.

Yr eiliad honno, daeth llais
Mrs Stephens o ben draw'r ardd.
"Mali! Gwenno! Dim ond deng
munud i fynd!"

Ar ôl mwytho Seren am y tro
olaf, rhuthrodd Mali a Gwenno
i gyfeiriad y tŷ.

"Mae golwg ofnadwy ar y
ddwy ohonoch chi!" ebychodd
Mrs Stephens, wrth i'r ddwy redeg
i mewn i'r gegin.

Cafodd Mali gip arni'i hun yn nrych y gegin. Roedd ei dillad yn llwch i gyd, a'i gwallt fel nyth brân.

Ond doedd dim ots ganddi. Roedd Seren a'r gert yn barod ar gyfer y parti, a dyna'r unig beth oedd yn bwysig.

Doedd fawr o amser gan Mali
a Gwenno i ymolchi a newid i'w
dillad glân.

Ymhen dim, roedd cloch y drws
yn canu wrth i'r gwesteion
gyrraedd.

"Reit, dewch drwodd i'r ardd,"
meddai Mrs Stephens, ar ôl i bawb
gyrraedd.

Allan â nhw – a chael y fath
syrpréis!

Rhwng canghennau'r coed, roedd baneri siâp pedol yn hongian. Roedd y byrddau'n orlawn o frechdanau, teisennau a jeli. Ond y peth mwyaf rhyfeddol o'r cwbl oedd Seren.

Yno, yng nghanol yr ardd, roedd Mr Stephens yn gafael yn ffrwyn y poni. A'r tu ôl i'r ddau roedd y gert.

Gwenodd Mali iddi'i hun. Bellach, roedd y gert yn edrych yn hollol wahanol i'r hen beth llychlyd welodd hi yn y sied yng nghanol y gwellt. Roedd Mr Stephens wedi rhoi clustogau streipiog ar y seddau, a dawnsiai'r rhubanau'n ysgafn yn yr awel.

Pan gododd Seren ei ben
a gweld Seren Mali a Gwenno,
gweryrodd yn falch fel pe bai'n
dweud, *Edrychwch arna i!*

"O, waw!" meddai un o'r gwesteion, gan edrych ar y gert. "Ydy pawb yn mynd i gael tro?"

"Wrth gwrs," atebodd Mr Stephens gan wenu. "Mae'r parti poni wedi cychwyn!" cyhoeddodd yn uchel.

Dyma'r parti pen-blwydd gorau erioed, meddai Mali wrthi'i hun. Bu'r plant yn chwarae llawer o gêmau parti hwyliog, gyda gwobrau i'w hennill, ac roedd y bwyd yn flasus iawn.

Ond y peth gorau o'r cyfan oedd mynd am dro o gwmpas yr ardd yng nghert Seren.

Roedd Seren wrth ei fodd hefyd.
Bob tro roedd rhywun yn ei fwytho,
byddai'n gwthio'i drwyn yn
gyfeillgar atyn nhw.

Ac roedd mam Gwenno wedi
paratoi plataid o fwyd arbennig
iddo – darnau blasus o afal a
moron.

Cyn i bawb fynd adre, trefnodd
Mr Stephens i dynnu llun o bawb
yn sefyll wrth ochr Gwenno a Seren
a'r gert.

"Mali!" galwodd Gwenno. "Dere i sefyll yn y blaen!"

Aeth Mali i sefyll yr ochr arall i Seren. "Mae hwn wedi bod yn barti ardderchog," meddai, a'i llygaid yn pefrio.

"Diolch i dy syniad di," meddai Gwenno.

Gwthiodd Seren ei ben yn ei herbyn, fel pe bai e'n dweud, *Beth amdana i?*

"A Seren, wrth gwrs!" meddai Mali, gan roi clamp o gwtsh i'r ceffyl.

Cofia chwilio am y llyfr nesaf
yng nghyfres

1. Y Ci Bach Chwareus

2. Y Gath Fach
Fusneslyd

www.rily.co.uk